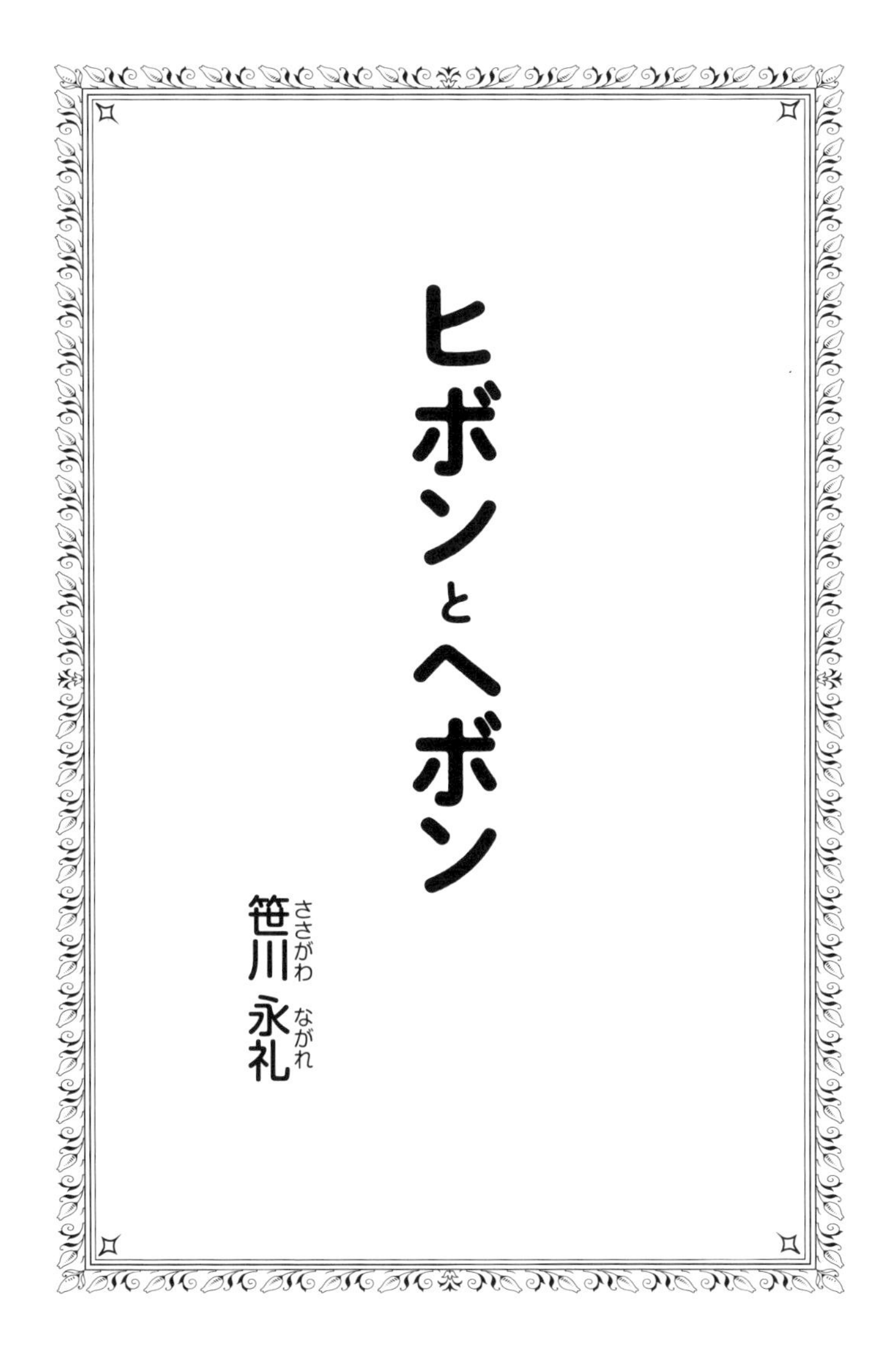

ヒボンとヘボン

笹川(ささがわ)永礼(ながれ)

風詠社

「それではヒボン、ヘボン。二人の夢を教えてください」

「はい！」

「はーい！」

「オレの夢は……！」

「ボクの夢は……！」


あるところにヒボンとヘボンという双子がいました。兄のヒボンはとても才能ゆたかな子供で、勉強でも運動でもなにをやらせてもうまくできました。いっぽう弟のヘボンはこれといって目だった才能はありませんでしたが、その分みんなの気持ちがよくわかる子供でした。

ある日、二人の通う学校で授業参観が行われることになりました。その内容は『将来の夢（自分がやりたいこと・なりたいもの）』を発表すること。

そこでヒボンとヘボンはお母さんにこんなことをたずねてみました。

「なぁなぁ、母さん！　オレはどんな職業に向いていると思う？」

「ねぇねぇ、母さん！　ボクはなんの仕事に向いているかな？」

するとお母さんは「そうねぇ」と考えながらも、それぞれにこう答えたのです。

「ヒボンは勉強から運動まで、得意なことがたくさんあるみたいだし、それを活かしたものはどうかしら？　たとえば宇宙飛行士とか」

「ヘボンは男女も学年も問わず、たくさんの人の気持ちがわかるみたいだし、それを活かせるものはどうかしら？　たとえば知事とか」

するとそれを聞いたヒボンとヘボンは

「え……」

思わずガクッとしてしまいました。実は二人ともこう思っていたからです。

『オレは、知事になりたいのに』

『ボクは、宇宙飛行士になりたいのに』

そう、ヒボンもヘボンも日頃からお互いのことをとってもうらやましく思っていました。勉強でも運動でもなんでもできてしまうヒボン。人の気持ちがよくわかりどんな人とも仲良くなれてしまうヘボン。二人にとってお互いはまさに自分の理想そのものだったのです。

そのため二人は自然と『いつか自分もこうなりたい！』と思うようになり、その想いからいつしか自分ではなく相手に向いている仕事や職業を目指すようになっていたのでした。しかし二人はそのことをお父さんにもお母さんにも、そしてお互いにさえ打ち明けられずにいました。だから今日みたいな日にはどうしたって相手のことをねたまずにはいられないのです。

ベッドに入ったヒボンとヘボンは思わずこうつぶやきました。

「はぁ〜。オレがヘボンだったら良かったのにな……」

「はぁ〜。ボクがヒボンだったら良かったのにね……」

するとどこからかこう聞こえた気がしたのです。

「その願い」

「叶えてあげる」

翌朝、目を覚ましたヒボンとヘボンは『あれ？』と思いました。なん

だかいつもと景色が違って見えたのです。不思議に思った二人はすぐさま周りの様子を確認しました。すると突然

「え⁉」

「ええっ⁈」

二人の目に思いもしなかったものが飛び込んできたのです。それはそこにいるはずのない人物。そうつまりは……

「オ、オレがいる⁉」

「ボ、ボクがいる⁈」

自分自身だったのです。

「いっ、一体なにが……」

「どうなってるの……？」

二人はあぜんとしました。しかしそこでふと『……は！　も、もしか

して……』と、あることに思い当たったのです。それは昨日聞こえたあのナゾの声。もしあれが本当だったとしたら……。二人は期待と不安に胸をバクバクさせながら鏡の前に立ちました。そしてそこに映る自分たちを見て

「やっぱり！　オレ、ヘボンになってる⁉」

「やっぱり！　ボク、ヒボンになってる⁈」

そう叫んだのです。すると次の瞬間！

「驚いただろう？」

「ビックリしたよね？」

いきなり何者かが声をかけてきたのです。ビクビクッ！となりながら、ヒボンとヘボンはとっさに声のするほうをふり向きました。するとそこには自分たちと同い年ぐらいの男の子が二人、窓に腰かけ得意げにこち

らを見つめていたのです。

「だ、誰だいキミたちは⁉」

「い、一体どこから来たの⁈」

「やれやれ、いきなり誰とは失礼だな。いいかい俺の名前はコウ。そしてこっちが弟のカン」

「どこからもなにも……そうだねぇ、まぁしいて言うなら、キミたちの心の中からってことになるのかな」

「え、心の中？」

　コウとカンのおかしな答えに
「どういうこと？」

　ヒボンとヘボンは何度も首をかしげました。そしてふと思ったのです。

『あれ？　もしかして、これって夢？』

『ボクたちまだ夢を見てるのかな？』

するとその直後、コウとカンはまるでそんな二人の心の声が聞こえているかのように

「いやいや。これは夢を見てるんじゃなく

『夢』を叶えてあげたんだよ」

そう言ったのでした。これにはヒボンもヘボンも

「な、なんで⁉」

「ど、どうして⁈」

と声をはり上げ驚きました。するとコウとカンはニタニタと笑いながら

「なんでって？　そんなの当たり前だよ！」

「だって僕たち……」

さらにとんでもないことを言い出したのです。

「神様なんだから！」

「……は？」

「……へ？」

その発言にヒボンもヘボンも思いっきり口をポカーンとさせました。

しかし、そんな二人の様子なんておかまいなしに、コウとカンはこう続けたのです。

「だから神様なんだって！」

「そうそう！　それ♪　僕ら双子の神様だ～♪」

カンがとつぜん歌いだすとそれに合わせてコウも歌いだしました。

「コウとカンとで交換だ～♪」

「キミとボクとを」

「あなたとわたしを」

「交換しましょう！」

「そうしましょう！」

歌いきって満足した二人は改めて自分たちのことを紹介しました。

「というわけで、俺たちはショーシンショーメイの神様さ」

「しかもキミたちとおそろいで双子なんだ」

なんでもこのコウとカンという二人組はヒボンとヘボンの願いを叶えるために天からやってきた交換の神様なんだとか。

もちろんそんな話、ヒボンとヘボンでなくとも信じられないでしょう。

しかし二人が入れ替わっていることは疑いようもない事実であり、またヒボンとヘボンにとってはそれだけで十分だったのです。

「……」

「……」

二人は改めてお互いの顔をじっと眺め合いました。そして確かめあうようにコックリうなずくと
「い、いやったー！　オレはヘボンだ！　本当にヘボンになったんだー！」

「わーいわーい！　ボクはヒボンだ！　本当にヒボンになったんだー！」

大きな大きなバンザイをしたのです。そんな二人の様子にコウとカンもとても満足したようで
「へへ！　喜んでくれてなによりさ」

「ふふ！　まずは存分に楽しんでね」

「それじゃあ良い交換を♪」

そうとだけ伝えるとすぐにいなくなったのでした。

さて、入れ替わったヒボンとヘボンはそれはもう目をキラキラキラキラさせながら、まっしぐらに学校へと向かいました。

まずはヘボンになっているヒボンが

「おはよう！」

といつものヘボンのように明るく元気に大きな声で教室に入っていきました。こんなこと普段のヒボンにはなかなかできないのですが、ヘボンになった今ならなんのためらいもなくできたのです。そんなヘボン（ヒボン）にクラスメートたちは

「おはようヘボン！　ねぇねぇ聞いてよ！」

あいさつを返しながらすぐにヘボン（ヒボン）の元へとやってきて、話題をふってきました。いつもであれば他人の気持ちがそこまでよくわ

からないヒボンには、こういうとき相手の話に合わせた受け答えがうまくできないので、友だちもすぐに離れていってしまいます。しかし、これもヘボンの感覚があれば相手が何を思っているのか、それに対してどう受け答えをすれば良いのか手に取るようにわかりました。だからヘボン（ヒボン）が返事をすると

「そうそう！　そうなんだよ！　やっぱヘボンはわかってるな～！」と、みんな喜び会話もはずんだのです。そんなヘボン（ヒボン）に他のクラスメートたちも

「なぁヘボン！　おれの話も聞いてよ！」

「わたしも！」

「ぼくも！」

一緒にお話しようとドンドン集まって来ました。そして気がつくとヘ

ボン（ヒボン）はすっかりみんなに囲まれ誰からも慕われていたのでした。このときヒボンは改めてこう感じたのです。

『ああ、やっぱりヘボンって最高だな！』

と。

続いてヒボンになっているヘボンは

「はい！」

いつものヒボンのように授業中まっ先に問題を解き、すぐさま手をあげました。こんなこと普段のヘボンにはなかなかできません。しかし、ヒボンになった今ならすらすらと問題が解けたのです。また体育の授業でサッカーをしていても、普段ならそんなに運動が得意ではないヘボンには試合中どこにどう動いて良いのかなかなかわからず、またわかっている時でもほとんど間に合いませんでした。しかしそれもヒボンのセンスがあれば、どこにどう動けばいいのかすぐわかりすばやく実行することができたのです。そんなヒボン（ヘボン）にクラスメートたちは

「さすがヒボンすごいよ！」

また先生も

「やるなぁヒボン！」

そう言って感心しました。そして気がつくと、ヒボンはすっかりみんなからほめられ誰からも尊敬されていたのでした。このときヘボンは改めてこう感じたのです。

『ああ、やっぱりヒボンって最高だね！』

と。

そんな中

「どうだい？　交換って良いだろう？」

「良いでしょう？　交換って」

またもコウとカンがどこからともなく突然現れたのです。

「とうぜんだね！」

「もちろんだよ！」

すっかり浮かれているヒボンとヘボンは二人の質問に迷うことなく答えると
「やっぱりヘボンは違うよ！」

「やっぱりヒボンは違うや！」

そう言い切ったのです。ところが
「あれ……？」

「……あれれ？」

二人は自分たちのその発言になんだか心がチクッとしました。そして

「！あ……」

「……ああ」

気づいたのです。

『ほんと大違いだな……いつものオレと』

『ほんと大違いだね……ふだんのボクと』

もちろんそんなことはヒボンもヘボンも初めからわかっていたつもりでした。しかし、実際に入れ替わってみたことであらためてよーくわかった、いやわかってしまったのです。

相手と自分、つまり理想と現実がどれだけかけ離れているのかを。そしてその理由がやはり持って生まれた才能の差だったことに。

『もしかして、オレがどれだけがんばっても、ヘボンのようにはなれないのかな……』

『もしかして、ボクがどれだけがんばっても、ヒボンのようにはなれないのかな……』

ヒボンとヘボンはすっかり落ち込みうつむいてしまいました。しかしそんな二人に

「ん～なんだかハッキリしない様子だけど、それだと困るんだよなぁ」

「そうそう。最後にはちゃんと決めてもらわないといけないからねぇ」

とつぜんコウとカンは言ったのです。

「決める？」

「一体、何を？」

ヒボンとヘボンがぼんやり聞き返すと

「決まってるじゃないか！」

「決まってるじゃないの！」

コウとカンはキッパリこう答えたのでした。

「このまま相手と入れ替わるか」

「それとも元の自分に戻るか、だよ！」

「え!?」

「え?!」

これにはヒボンもヘボンも声をそろえて驚きました。

「そ、そんなことまで決めれちゃうの!?」

「とうぜんさ。なんてったってボクらは交換の神様だもの」

「でっ、でも、そんな大事なこと、ホントにボクたちで決めちゃっても良いのかな……?」

「いやいや、大事なことだからこそ、ちゃんと自分たちで決めないといけないんだよ」

「ただし！」

ふいにコウとカンは今までにないような真剣な顔でこう言ったのでした。

「チャンスは一度きり」

「一度決めたら、もう元には戻れない」

「だからヒボンもヘボンももう一度よく考えてみて」

「キミたちが一体どんな自分になりたいのかを……」

そうして二人は

「まっ！　そういう訳だから、大変だろうけど、きちんと決めておいてくれよな」

「タイムリミットはキミたちが今日眠るころまでだよ」

またすぐにいつもの調子に戻ると

「それじゃあ良い交換を♪」

これまたいつものように、パッといなくなってしまったのでした。

さて残されたヒボンとヘボンは

「どうしよう……」

「……どうしよう」

すっかり頭の中がゴチャゴチャになって、その場に立ちつくしていました。

無理もありません。あんなことを言われたら、誰だってどちらにしようか迷ってしまうでしょう。たとえそれがずっと入れ替わりたいと思ってきたヒボンとヘボンだったとしても。それだけ二人にとっても、元の自分に戻れなくなるのは怖いことなのです。そう、まるで自分が本当の自分じゃなくなってしまうような気がして。

しかしそのとき二人(ふたり)の頭(あたま)に、またよぎったのです。

『もしかして、オレがどれだけがんばっても、ヘボンのようにはなれないのかな……』

『もしかして、ボクがどれだけがんばっても、ヒボンのようにはなれないのかな……』

ということが。

「そっ、それだけは絶対(ぜったい)に嫌(いや)だ!!」

たまらずヒボンとヘボンは叫(さけ)びました。そしてそれなら方法(ほうほう)は一(ひと)つだとこう思(おも)いつめたのです。

『入(い)れ替(か)わるしかない……』

とそのとき!

「なぁなぁヒボン！　ちょっといい？」

「ねぇねぇヘボン！　ちょっといい？」

ふいに別々のクラスメートから声をかけられたのです。

「え！　なっ、何？」

「どっ、どうしたの？」

ハッと我に返りながら返事をするヒボンとヘボンを
「まぁまぁ良いから良いから」

「ほらほら、はやくこっちに来て！」

クラスメートはどんな用事かも伝えずほぼ強引にそれぞれ二人を連れ出したのです。

訳もわからぬまま連れ出されたヒボンとヘボンは『今はそれどころじゃないのに……』と小さくため息をつきました。しかし二人はこのあと、この何てことない出来事によって気づかされるのです。自分たちが今まで想像もしてこなかったある大切なことに。

さっそくクラスメートは連れ出したヒボン（ヘボン）にこんなお願いごとをしていました。

「なぁヒボン！　おれに勉強を教えてくれよ」

するとヘボンは
『なんだ、なにかと思ったらそんなことだったのか』

そう思って
「もちろん！　お安いごようさ。どこがわからないんだい？」

と、グッと胸を張って言いました。

『ヒボンになっている今ならなんでも答えられる』からです。

「サンキュ！　実はオレ、比例と反比例が苦手なんだけど……」

「ああ、それなら……ｙ＝ａｘがうんたらかんたらでどうたらこうたらだから……つまりは比例と反比例の法則ってわけさ」
ヒボン（ヘボン）の解説を聞いたクラスメートは
「お、おう……なるほどな！」
それでもちょっぴり自信がなさそうでした。そんなクラスメートにヒボン（ヘボン）は
「大丈夫、大丈夫！　公式さえ覚えてれば何も問題ないさ」
と、そう言い切ったのです。これにはクラスメートも
「そっかそうだよな！　ヒボンが言うなら間違いねぇよな！」
すっかりその気になって
「よーし、これで今日の小テストもバッチリだぜ！　ありがとなヒボン！」
満足そうに自分の席へと戻っていったのでした。そしてその様子を

「へへへっ！」

ヒボンは得意げになって見届けたのでした。ところがその日の放課後のことです。

「やいやいヒボン！　これはいったいどういうことだ！」

とつぜんそのクラスメートは顔を真っ赤にしてヒボン（ヘボン）に食ってかかってきたのです。

「ど、どうしたの!?」

「どうしたもこうしたも、さっきの小テスト、お前に教わったとおりにやったのに、全然ダメだったじゃねぇか!!」

「へっ?!　ま、まさか～……」

　ヘボンは思いました。ヒボンになっている今の自分に限って、そんな失敗をするはずはないと。しかしそれはヘボンが気づけていないだけなのです。なんでも知っていると思っていたヒボンにも、よく知らないことや知ったつもりでいるだけのことがあることを。そしてまたヒボンとなってしまっているからこそ、いつものヘボンのようにちゃんと相手の立場や気持ちになって応えてあげることがうまくできていなかったということに。

「まったく、何が公式さえ覚えてれば問題ないだよ。……もーいいわ、今度からはヒボン以外に教えてもらうことにすっから」

すっかりカンカンになってしまったクラスメートはそう言い残すとさっさとヒボン（ヘボン）の元から去っていったのです。

「う、うそ……?!」

このことにヘボンは今までにないくらい大きな衝撃を受けたのでした。

そのまた一方でヘボン（ヒボン）は

「ねぇヘボン！　ぼく悩みごとがあるんだけど、聞いてもらえないかな？」

　連れ出されたクラスメートからそう頼まれていました。するとヒボンは

『なんだなにかと思えばそんなことだったのか』

　そう思って

「もちろん！　お安いごようだよ。どんな悩みかな？」

　と、ドンと胸を叩いて言いました。

『ヘボンになっている今ならどんなことでも応えられる』からです。

「ありがとう！　実はぼく……誰々ちゃんが好きで告白しようかどうしようか迷っているんだけど……」

「わぁ！　それなら絶対したほうが良いよ。だってキミとあの娘はこれ

これこうで相性バッチリだし、きっと上手くいくよ！」
ヘボン（ヒボン）の意見を聞いたクラスメートは
「う〜ん……そうかな？　本当に上手くいくかな？」
それでもちょっと自信がなさそうでした。
そんなクラスメートにヘボン（ヒボン）は
「大丈夫、大丈夫！　告白さえちゃんとできれば、絶対上手くいくって」
と、そう言い聞かせたのです。これにはクラスメートも
「そっかぁそうだよね！　ヘボンが言うなら間違いないもんね！」
すっかりその気になって
「よーし、それじゃあ思い切って告白してみるよ！　ありがとうヘボン！」
嬉しそうに自分の席へと戻っていきました。そしてその様子を

「ふふふっ！」

ヘボンは得意げになって見届けたのでした。ところがその日の放課後のことです。

「ちょっとヘボン！　これはいったいどういうこと⁉」

とつぜんそのクラスメートは目を真っ赤にはらしてヘボン（ヒボン）に食ってかかってきたのです。

「な、なにがあったの⁉」

「なにって決まってるでしょ！　ヘボンにすすめられたとおり告白してみたのに、思いっきりフラれちゃったじゃない‼」

「えっ⁉　ま、まさかぁ……」

ヒボンは思いました。ヘボンとなっている今の自分に限って、そんな失敗あるわけないと。しかしそれはヒボンが気づけていないだけなのです。誰のどんな気持ちでもわかっていると思っていたヘボンにも、よくわかっていないことや勘違いしているときがあることを。そしてまたヘボンとなってしまっているからこそ、いつものヒボンのようにきちんと相手になにをどうすれば良いか的確に答えてあげることがうまくできていなかったということに。

「はぁー。告白さえできれば上手くいくって言ってたのに。……もう良いよ、今度からはヘボンには相談しないから」

すっかりションボリしてしまったクラスメートはそう言い残すとさっさとヘボン（ヒボン）のもとから離れていったのです。

「う、うそ……!?」

このことにヒボンは今までで一番強い衝撃を受けたのでした。

その日の夕方、家に帰ったヒボンとヘボンはベッドにあお向けになりながら、ぼんやりと天井を見つめていました。

「ヒボンだったらなんでも知ってるし、どんなことでもできると思っていたのにね……」

「ヘボンだったら誰のどんな気持ちでも、いつだってわかってると思っていたのにな……」

二人はつぶやきました。しかし実際にはヒボンにもヘボンにも知らないことやわからないこと、なによりできないことやうまくいかない時だってあったのです。

「そっか、そうだよな……」

「そっか、そうだよね……」

二人は鏡を見つめながら言いました。

「ヘボンもオレと」

「ヒボンもボクと」

「同じなんだな」

「同じなんだね」

そしてついに

「だったらオレは……！」

「だったらボクは……！」

決心したのです。コウとカンへの答えを。するとまさにその瞬間

「どうやら決まったようだね？」

コウとカンが今度は二人がのぞいていた鏡の中から現れたのです。

「うん」

「決まったよ」

凜としたヒボンとへボンの返事にコウとカンは思わずにんまりしまし

た。

「よーし、それじゃあ聞かせてもらおうかな！」

「ヒボンとヘボン、キミたちの決断をね！」

「オレ……いや！」

「ボクたちは……!!」

ヒボンとヘボンの答えに
「！そっか……」

「それがキミたちの選んだ答えなんだね」

コウとカンはそっと呟きました。

そしてその声にヒボンとヘボンは改めて
「ああ！　だってオレには……」

「ええ！　だってボクには……」

「「夢(ゆめ)があるから!!」」

そう応(こた)えたのでした。

「！……うん、そうだね！」

「それでこそ、ヒボンとヘボンだよ！」

コウとカンはそんな二人(ふたり)のことを、まるで自分(じぶん)のことのように本当(ほんとう)に本当(ほんとう)に誇(ほこ)らしく感(かん)じたのです。

「じゃあ最後(さいご)になるけどヒボンとヘボン」

「それから、ずっと僕(ぼく)たちを見守(みまも)ってきたそこのキミも！」

「おなじみのあの掛(か)け声(ごえ)でお別(わか)れしよう！」

「準備(じゅんび)は良(い)いかな？　では、いっくよ～」

「せーの……」

「「それじゃあ良(よ)い交換(こうかん)を♪」」

掛け声とともにヒボンとヘボンはスっと眠りに落ちました。同じようにコウとカンも幸せそうに瞳を閉じたのです。ヒボンとヘボン二人の胸にそっと頭を被せながら……そうして帰るべき場所へと戻っていったのでした。

はたしてヒボンとヘボンは一体どちらを選んだのでしょうか……？

翌朝、目を覚ました二人はすぐさまお互いの顔を見比べました。すると

「！ぷっ……」

「ぷぷっ！」

そのそっくりな自分たちの顔に思わず吹き出し、そしてお互い確信を持ってこう言ったのです。

「おはよう、ヘボン！」

「おはよう、ヒボン！」

そう、二人は選んだのです。元の自分に戻ることを。それはきっとヒボンとヘボンが本当の意味で目覚めたからなのでしょう。『こうなれたら良いのに』というおぼろげな夢から『こうなるんだ！』という確かな夢に！

「それではヒボン、ヘボン。二人の夢を教えてください」

「はい！」

「はーい！」

いよいよ発表会当日、先生にうながされた二人はとても良い返事をすると、先生やクラスメート、保護者の皆さんやお母さん、そしてお互いに向けて、ちゃんと発表したのです。誰にも言えなかった、誰にも言えないと思っていた自分たちの夢を！

「オレの夢は知事になることです！」
「ボクの夢は宇宙飛行士になることです！」

おしまい

あとがき

私たちが生きていく中で必ずといっていいほど才能というものに一喜一憂させられることがあるかと思います。しかし大抵の方はきっと喜ぶことよりも憂うことのほうが多く、また最もそれを強く感じることになるのは、やはり何かを目指すうえで壁にぶつかった時ではないでしょうか？　人一倍努力したつもりなのにテストや試合でいい成績が残せない、また社会に出てからは望んでいた職業につけなかったり、頑張っても仕事で思うような成果を挙げられなかったりと、本当に人生は自分の思いどおりにいくことのほうが少ない気がします。ところがそんな中にも、ちゃんと努力が報われている人もいるわけで、そういう人たちを見るとついこう思ってしまうわけです。ああ、もっと自分にも才能があればと。

事実、私も今まで生きてきた中で何か上手くいかないことがあるたびに、「やっぱり自分の才能では無理なのかな」と何度となく才能のせいにしてしまっていますし、なんでしたら未だに現在進行形であります（笑）。そしてまた、きっとそれは未来進行形でもあるんだろうなぁとも思っています。だって、才能なんて上を見たらキリがないですし、おまけに正確に数値化することもまた明確な勝ち負けを決めることも難しいですよね。そして、そうした理屈をわかっていたとしても、やはり相手と自分を比べることはなかなかやめられず、一生の中で延々と繰り返し続けてしまうことでしょう。それじゃあ言い訳の一つもしないと、この長い人生とてもやっていけませんよ。だから、言い訳しても泣き言を言っても良いと思うんです。時には他人を羨んだって構わないと思うんです。大切なのは決して自分の可能性という才能を忘れないこと。そしてどんな

あとがき

形であれ、受け容れてあげることだと思います。そうすればいつか……そうきっといつか、他人や自分の才能に囚われることのない天才と呼ばれる存在になれるのではないでしょうか？

この作品が多くの一般の方々はもとより、少しでも（私を含む）世の中に沢山いらっしゃるであろう『腐らせるのはもったいないけど、実らせるには足りない（かもしれない）』そんな才能の持ち主たちが自分という才能と向き合い続けるためのエールとなることを切に願います。

おしまいに、今回この作品を出版するにあたりお世話になりました風詠社の皆様、また様々な面でご協力いただいた関係者様各位、そしてこの本を手に取っていただいた皆様はもちろんのこと、二作目の出版をずっと待ち続けていてくれた全ての人たち、本当に本当にありがとうございました。

どうあれこうあれ書き続けていれば、長く時間がかかろうとも、こうしてまた皆様に作品を読んでいただける機会に恵まれたこと、そのことを強く心に刻みこみ、次回作そのまた次回作へと、可能な限り繋いでいけたらなぁと思います。そして、そんな己の強い願いと決意を込めまして、再びこの言葉で締めくくらせていただこうと思います。

「それではまた！」

著者プロフィール

笹川　永礼（ささがわ　ながれ）

1991年7月29日生まれ。
新潟県出身。
新潟県立村上高等学校、ワタナベエンターテイメントカレッジ卒業。
新潟県在住。
新潟アルビレックスBC公式応援ソング「飛翔～ Winning ～」作詞。
著書に『きちきちだらり』（文芸社）がある。

ヒボンとヘボン

2020年1月18日　第1刷発行
著　者　笹川永礼
発行人　大杉　剛
発行所　株式会社 風詠社
〒553-0001　大阪市福島区海老江5-2-2
大拓ビル5 - 7階
Tel 06（6136）8657　http://fueisha.com/
発売元　株式会社 星雲社（共同出版社・流通責任出版社）
〒112-0005　東京都文京区水道1-3-30
Tel 03（3868）3275
装幀　2DAY
装画　浅田としこ
印刷・製本　シナノ印刷株式会社

ISBN978-4-434-26993-6 C0093